© Ben van Duin, Amsterdam

Jet Boeke

Idee en illustraties: Jet Boeke
Tekst: Arthur van Norden

This Sesame Street product was produced in cooperation with Sesame Workshop by
Uitgeverij J.H. Gottmer / H.J.W. Becht BV
Uitgeverij J.H. Gottmer / H.J.W. Becht BV is onderdeel van de
Gottmer Uitgevers Groep BV
E-mail: post@gottmer.nl

Sesame Workshop is represented in the Benelux by EM.TV & Wavery BV

ISBN 90 257 3576 2
NUR 273

Dikkie Dik

De zon, de zee en de wind

Jet Boeke

Met tekst van Arthur van Norden

Gottmer · Haarlem

Dikkie Dik is op vakantie. Hij ligt op het strand, samen met Beer.
De zon straalt, de zee bruist en de wind...

... de wind blaast opeens héél hard: *Hoeiii!*
'M'n parasol!' roept Dikkie Dik. 'En o... Beer vliegt de zee in!'

De wind loeit: ‘Vraag maar aan de zee of-ie Beer wil teruggeven.’
‘Zee, zee, alsjeblieft,’ roept Dikkie Dik, ‘Beer kan niet zwemmen en ik wil niet nat worden.’

‘Vooruit,’ bruist de zee, ‘omdat je het zo vriendelijk vraagt. Hier... vangen!’
Een grote golf... en daar komt Beer weer terug.

Zo hard hij kan rent Dikkie Dik terug naar het droge strand.
'Haha,' buldert de zee, 'heb ik je toch helemaal nat gemaakt.'

De wind blaast Beer droog.
Dikkie Dik schudt het zeewater uit zijn vacht.
Zo... en nu opdrogen in de warme zon.

'Pfff...' zucht Dikkie Dik, 'je bent veel te warm, zon, ga weg!'
'Nee, hoor,' straalt de zon, 'ik blijf de hele dag. Ik ga vanavond pas weg.'

Dikkie Dik gaat op zoek naar een plekje uit de zon.
'Daar ga ik zitten,' zegt hij, 'in de schaduw van dat groene ding.'

Dat groene ding is een plant, een cactus. Er zitten scherpe stekels aan.
'Au!' schreeuwt Dikkie Dik. 'Er prikt iemand in m'n rug!'

Hij springt overeind.
'Ik kan ook prikken, met m'n nagels!'

Klik-klak… klik-klak…
Dikkie Dik draait zich om.
Wat is dat nou voor een beest?

De krab schrikt. Hij scharrelt opzij.
Dikkie Dik doet hem na.
Wat een leuk spelletje!

De krab rent de zee in. Dikkie Dik holt achter hem aan.
Hij vergeet helemaal hoe nat de zee is.

plons doet de zee en hij gooit een grote golf over Dikkie Dik heen.
'Bah, wat ben je zout, zee. Laat me eruit, ik wil niet nat worden!'

'Dikkie Dik,' bruist de zee, 'kom nou terug, de vissen willen met je spelen.'
Dikkie Dik rent het strand op. Hij is kletsnat.

‘Kijk niet zo boos, Dikkie Dik,’ zegt Beer, ‘de zee maakt je nat...
de wind en de zon maken je weer droog.’
Wat een fijne vakantie!